國家圖書館特藏精品

芥子園畫傳　竹譜

王槩　王蓍　王臬　編
尚佐文　沈樂平　錢偉強　注釋　點評

上海書畫出版社

出版説明

芥子園，是明末李漁在江寧（今南京）建造的一座精致私家園林。在園中，李漁收集了大量文學、戲劇、書法、繪畫典籍，並開始嘗試自己刊刻圖書。清康熙初年，李漁與女婿沈心友于園中討論畫理時，觸發他起意編刻一部供繪畫者自學的中國畫技法教材。這便是《芥子園畫傳》的編纂和刊刻緣由。

康熙十八年，王槩首先編集完成了《山水譜》。此譜匯集明代李流芳課徒畫稿並略增加篇幅而成。康熙四十年，二集《梅蘭竹菊譜》、三集《翎毛草蟲花卉譜》又相繼編集而成，皆由王槩、王蓍、王臬三人編刻而成。由于前後刊刻時間很長，一集與二、三集出版時間相隔二十二年，故二、三集出版之時，李漁已然謝世，故一、二、三集的序言亦由不同的人寫就，一集李漁序、二集王槩序、三集王蓍序。這三集畫傳是目前廣爲流傳的《芥子園畫譜》的最初版本，皆用開化紙、彩色木版套印而成，紙質細膩、顔色飽滿。後世相傳之嘉慶、民國版本與之相比，不可同日而語。

此次上海書畫出版社推出的《芥子園畫傳》三集即采用國家圖書館古籍館特藏善本之康熙版本，爲早年大收藏家鄭振鐸先生捐贈之物，彌足珍貴。《芥子園畫傳》三集十册，分别爲一集《山水譜》四册，二集《梅蘭竹菊譜》四册，三集《翎毛草蟲花卉譜》二册。

此次出版，全部采用四色影印，逼真還原了康熙版《芥子園畫傳》的原貌和神韵。爲了便于讀者更好地理解畫傳中講解的畫法技要，我們還將原版中木刻文字整理成繁體豎排文字，並加以點校、注釋、評講，屬該畫傳出版之首創，相信會對讀者學習、領會、體悟《芥子園畫傳》之精要、了解其成書歷史起到很好的幫助作用。

自《芥子園畫傳》問世以來，一直就是一部家喻户曉的繪畫入門叢書，近世許多大畫家都曾從中得到啓蒙並汲取營養。然此次精良出版却不同于以往的版本，在開本和文字的轉排等方面，作了新的探索和努力。相信《芥子園畫傳》的出版，對清代版本研究、明清繪畫研究以及中國繪畫學習者或可提供很大的幫助。編輯之中存在的不足之處，亦請專家和廣大讀者多加指正。

上海書畫出版社

目録

青在堂畫竹淺説

畫法源流

李息齋「李息齋：即李衎（1245—1320），字仲賓，號息齋道人。薊丘（今北京）人。元代大臣、畫家，累官至吏部尚書，卒後追封薊國公，謚文簡。著有《竹譜》。」《竹譜》，自謂寫墨竹，初學王澹游「王澹游：即王曼慶（一作萬慶），字禧伯，號澹游。庭筠子。金代畫家，善墨竹樹石，亦能山水。見《圖繪寶鑒》卷四。」，得黃華老人「黃華老人：即王庭筠（1156—1202），字子端，號黃華山主、黃華老人。米芾之甥。金代文學家、書畫家。」法。黃華乃私淑（私淑：未能親自受業但敬仰其學術並尊之爲師。語出《孟子·離婁下》：『予未得爲孔子徒也，予私淑諸人也。』）文湖州「文湖州：指文同（1018—1079），字與可，自號石室先生，又號笑笑先生。北宋畫家，以愛竹畫竹成癖聞名于世。元豐初年任湖州太守，故人稱『文湖州』。」，因覓湖州真迹，窺其奧妙，更欲追求古人鈎勒著色法。上自王右丞「王右丞：唐代詩人、畫家王維（701—761）。因官至尚書右丞，故人稱『王右丞』。」、蕭協律「蕭悦：蘭陵（今山東蒼山縣蘭陵鎮）人。唐代畫家，善畫竹。白居易爲作《畫竹歌並引》，稱『協律郎蕭悦畫墨竹，舉時無倫』。」、李頗「李頗：一作李坡，南昌人。五代末宋初畫家，善畫竹。見《宣和畫譜》卷二十。」、黃筌「黃筌（約903—965），字要叔，成都人。歷仕前蜀、后蜀，入宋後任太子左贊善大夫。擅花鳥，兼工人物、山水、墨竹。見《宣和畫譜》卷十六。」、崔白「崔白（約1004—1088）：字子西，濠梁（今安徽鳳陽）人。北宋畫家，善畫花竹羽毛芰荷鳧雁道釋鬼神山林飛走之類。見《宣和畫譜》卷十八。」、吴元瑜「吴元瑜：字公器，京師（今河南開封）人，北宋畫家。見《宣和畫譜》卷十九。」諸人，以爲與可以前惟習尚鈎勒著色也。有云五代李氏描窗上月影，創寫墨竹。考孫位「孫位：會稽（今浙江紹興）人。唐代畫家，擅人物、鬼神、松石、墨竹。見《宣和畫譜》卷二。」、張立「張立：里貫不詳。唐代畫家，善水墨。見《畫史會要》卷一。」墨竹，已擅名于唐，自不始于五代。山谷「山谷：北宋詩人黃庭堅。」云，吴道子畫竹，不加丹青，已極形似。意墨竹即始于道子。二者則唐人兼善之。至文湖州出，始專寫墨，真不异杲日當空，爝火俱息。（杲日當空，爝火俱息：用《莊子·逍遥游》典故：『日月出矣，而爝火不息，其于光也，不亦難乎！』杲日，明亮的日光。爝火，炬火，小火。）師承其法，歷代有人，即東坡同時，猶北面事之，其時師湖州者並師東坡。一燈分焰，照耀古今。金之完顏樗軒「完顏樗軒：即完顏璹（1172—1232），本名壽孫，字仲實，一字子瑜，號樗軒老人。金世宗孫，累封密國公。長于詩詞、書法。」，元之息齋父子、自然老人「自然老人：姓劉，名不詳，真定祁州（今河北安国）人。元代畫家，善畫墨竹禽鳥。見《圖繪寶鑒》卷五。」、樂善老人「樂善老人：元代畫家，善畫墨竹，爲顧正之、范庭玉及韓紹曄之師。見《圖繪寶鑒》卷五。」，明之王孟端「王孟端：王紱（1362—1416），字孟端，號友石，別號鰲叟、九龍山人、青城山人。無錫人，明代文學家、畫家。入《明史·文苑傳》。」與夏仲昭「夏仲昭（1388—1470）：明代畫家，擅墨竹，師法王紱。」真一花五葉，燈燈相續。故文湖州、李息齋、丁子卿各立譜以傳厥派，可謂盛矣。至若宋仲温「宋仲温：即宋克（1327—1387），字仲温，號南宫生，長洲（今江蘇蘇州）人。明代書法家。嘗于試院牘尾用朱筆掃竹。」畫硃竹、程堂「程堂：字公明，眉（今四川眉州）人。北宋畫家，善畫墨竹。見《畫繼》卷三。」畫紫竹、解處中「解處中：江南人，爲南唐後主翰林司藝。善畫雪竹。見《圖繪寶鑒》卷三。」畫雪竹、完顏亮「完顏亮（1122—1161）：即金廢帝，女真名迪古乃，字元功，金代第四位皇帝。嘗作墨戲，多喜畫方竹。見《圖繪寶鑒》卷四。」畫方竹，又出乎諸譜之別派，若禪宗之有散聖（散聖：佛教中稱异于一般嚴守戒律者的高僧，如濟公和尚等。《宋高僧傳》中傳列『散聖』類。此借喻不拘常格的畫竹名家。）焉。

竹之畫法有勾勒着色古法與后起之墨竹兩大類，此段文字講述了這兩種畫法的傳承脉絡，並一一歷數各種畫法的歷代名家，讀者窺之可基本明了畫竹之歷史源流。

畫墨竹法

畫竹必先立竿。立竿留節，稍（稍：同『梢』。）頭須短，至中漸長，至根又漸短，忌臃腫。近枯近濃，均長均短。竿要兩邊如界，節要上下相承，勢如半環，又如心字無點（心字無點：『心』字去掉三點後的形狀。）。去地五節，則生枝葉。畫葉須墨飽，一筆便過，不宜凝滯，其葉自然尖利，不桃不柳（不桃不柳：既不像桃葉，也不像柳葉。），輕重手相應，个字必破，人字筆必分。結頂葉要枝攢鳳尾，左右顧盼，齊對均平，枝枝著（著：接觸，附着。）節，葉葉著枝。風晴雨露，各有態度（態度：此指姿態、情態。）；翻正掩仰，各有形勢（形勢：此指形體、形態。）；轉側低昂，各有意理。當盡心求之，自得其法。若一枝不妥，一葉不合，則爲全璧之玷（玷：白玉上面的斑點。）矣。

位置法

墨竹位置，幹節枝葉四者若不由規矩（不由規矩：不按規矩（畫）。），徒（徒：徒然，白白地。）費工夫，終不能成畫。凡濡墨有深淺，下筆有重輕，逆順往來，須知去就（去就：取舍。），濃淡粗細，便見榮枯，生枝布葉，須相照應。山谷云：『生枝不應節，亂葉無所歸。』須筆筆有生意、面面得自然，四面團欒（團欒：也作『檀欒』，形容竹子秀美的樣子。），枝葉活動，方爲成竹。然古今作者雖多，得其門者或寡，不失之于簡略，則失之于繁雜，或根幹頗佳而枝葉謬誤，或位置稍當而向背乖方（乖方：不得其法。），或葉似刀截，或身如板束，粗俗狼籍，不可勝言。其間縱有稍异常流（稍异常流：稍微與一般人不同。），僅能盡美，至于盡善，良恐未暇（良恐未暇：意思是還差得遠。良，很。）。獨文湖州挺天縱之才（天縱之才：上天賦予的才能。天縱，天所放任。），比生知之聖（生知之聖：生下來就懂得知識和道理的聖人。《論語·季氏》：『生而知之者，上也。』），筆如神助，妙合天成，馳騁于法度之中，逍遥于塵垢之外，從心所欲，不逾準繩（從心所欲，不逾準繩：即《論語·爲政》所説的『從心所欲不逾矩』，意思是按照自己的意願去做，但不會逾越規矩。這是功夫極深才能達到的境界。）。後之學者勿陷于俗惡，知所當務（知所當務：知道什么是應該致力的。）焉。

畫竿法

畫竿若祇畫一二竿，則墨色且得從便。若三竿之上，前者色濃，後者漸淡，若一色則不能分別前後矣。後稍（稍：同『梢』。）至根，雖一節節畫下，要筆意貫穿，全竿留節，根梢宜短中漸放長。每竿須要墨色勻停（勻停：均勻適中。），行筆平直，兩邊圓正。若臃腫偏邪，墨色不勻，間有粗細枯濃，及節空勻長勻短（勻長勻短：一樣長短，沒有變化。），皆竹法所忌，斷不可犯。頗見世俗肉蒲絟（絟：同『拴』，捆縛。）槐皮或疊紙濡墨畫竿，無問根梢一樣粗細，又且板平，全無圓意，但堪發笑，不宜仿效。

畫節法

立竿既定，畫節爲最難。上一節要覆蓋下一節，下一節要承接上一節，中雖斷，意要連屬。上一筆兩頭放起，中間落下如月少彎，則便見一竿圓混（圓混：渾圓。）。下一筆看上筆意趣，承接不差，自然有連屬意。不可齊大，不可齊小，齊大則如旋環，齊小則如墨板；不可太彎，不可太遠，太彎則如骨節，太遠則不相連屬（連屬：連接。），無復生意矣。

此部分原書分別按照畫墨竹法、位置法、畫竿法、畫節法、畫枝法、畫葉法、勾勒法分別詳細講述畫竹之法，並佐以白描勾勒畫竹竹之各部位技法，是一段圖文並茂、深入淺出的畫竹之基礎入門。

畫枝法

畫枝各有名目。生葉處謂之丁香頭，相合處謂之雀爪，直枝謂之釵股，從外畫入謂之垛疊，從裏畫出謂之迸跳。下筆須要遒健圓勁、生意連綿，行筆疾速，不可遲緩。老枝則挺然而起，節大而枯瘦；嫩枝則和柔而婉順，節小而肥滑。葉多則枝覆，葉少則枝昂。風枝、雨枝，觸類而長（觸類而長：意指掌握某一類事物的知識，就能舉一反三，據此增長同類事物的知識。語出《周易·繫辭上》：『引而伸之，觸類而長之，天下之能事畢矣。』），亦在臨時轉變，不可拘于一律也。尹白「尹白：汴（今河南開封）人。宋代畫家，專工墨花。見《畫繼》卷六。」、鄆王「鄆王：趙楷，宋徽宗第三子（按《畫繼》、《畫鑒》等均作第二子，此依《宋史》本傳）。嗜畫，能畫花鳥。見《畫繼》卷二、《畫鑒》。」隨枝畫節，既非常法，今不敢取。

畫葉法

下筆要勁利，實按而虛起，一抹便過，少（少：稍微。）遲留則鈍厚不銛利（銛利：銳利。）矣。

然寫竹者此爲最難，虧此一功，則不復爲墨竹矣。法有所忌，學者當知粗忌似桃，細忌似柳。一忌孤生，二忌並立，三忌如乂（如乂：指竹葉畫成像『乂』字形。），四忌如井（如井：指竹葉畫成像『井』字形。），五忌如手指，及似蜻蜓。露潤雨垂，風翻雪壓，其反正低昂，各有態度，不可一例（一例：一律。）抹去，如染皂絹（皂絹：黑色的絹。）無异也。

勾勒法

先用柳炭將竹竿朽定（朽定：用炭筆勾勒輪廓。），再分左右枝梗，然後用墨筆鈎葉。葉成，始依所朽竿枝與節，一一畫出。俾（俾：使。）枝頭鵲爪盡與葉連，要穿釵躲避，方見層次。竿之前後，墨分濃淡鈎出，前宜濃，後宜淡。此乃勾勒竹法。其陰陽向背（向背：正面與背面。），立竿寫葉與墨竹法同，可類推之。

畫墨竹總歌訣

黄老（黄老：指黄華老人，見前注。）初傳用勾勒，東坡與可（東坡與可：蘇軾與文同。）始用墨。李氏竹影見横窗，息齋（息齋：李息齋，見前注。）夏呂皆體一。幹篆文，節邈隸，枝草書，葉楷鋭，（『幹篆文』四句：此以字體比喻畫竹法：竹竿像篆書，竹節像隸書，竹枝像草書，竹葉像楷書。相傳隸書爲程邈所創，故稱爲『邈隸』。）傳來筆法何用多，四體須當要熟備。絹紙佳，墨休稠，筆毫純，勿開頭。未下筆時意在先，葉葉枝枝一幅周（周：考慮周全。）。分字起，个字破，疏處疏，墮處墮。墮中切記莫糊塗，疏處須當枝補過。風竹勢，幹挺然，墮處逆，幹須偏，烏鴉驚飛出林去，雨竹横眠豈兩般。晴竹體，人字排，嫩一叠，老兩釵，先將小葉枝頭起，結頂還須大葉來。寫露竹，雨仿佛，晴不傾，雨不足，結尾露出一梢長，穿破个字枝頭曲。寫雪竹，貼油袱（油袱：上過油、用于覆蓋的布，可以防水。此指畫雪竹像是蓋上一層油布。），久雨枝，下垂伏（久雨枝，下垂伏：久雨后的竹子，因濡濕而枝葉下垂。），染成鉅齒一般形，揭去油袱見冰玉。一寫法，識竹病，筆高懸，勢要俊。心意疏懶切莫爲，精神魂魄俱安静。忌杖鼓（杖鼓：一種細腰小鼓。），忌對節，忌挾籬（挾籬：指形如編籬笆。），忌邊壓（邊壓：斜向一邊。）。井字蜻蜓人手指，罾眼（罾眼：網眼。）桃葉並柳葉。下筆時，莫要怯，須遲疾，心暗訣。寫來（『寫來』二句：意指多練多試，經歷多次失敗，最終會掌握技巧，令人稱絶。）敗筆積成堆，何怕人間不道絶。老幹參，長稍拂，歷冰雪，操金玉。風晴雨雪月烟雲，歲寒高節藏胸腹。湘江景，淇園趣，娥皇詞，七賢句。［『湘江景』四句：用與竹相關的典故。相傳娥皇、女英二人是堯的女兒、舜的妃子，稱『湘夫人』。舜去世后，二人日夜啼哭，泪水滴到九嶷山的竹子上，『竹盡斑』，稱爲『斑竹』、『湘妃竹』。淇園趣，典出《詩經·衛風·淇奥》『瞻彼淇奥，緑竹猗猗』。七賢，魏正始年間，嵇康、阮籍、山濤、向秀、劉伶、王戎及阮咸七人常聚在當時的山陽縣（今河南輝縣、修武一帶）竹林之下，世稱『竹林七賢』。］萬竿千畝總相宜，墨客騷人遭際遇。

畫竿訣

竹幹中長上下短，衹須彎節不彎竿。竿竿點節休排比（排比：排列。），濃淡陰陽細審觀。

點節訣

竿成先點節，濃墨要分明。偃仰（偃仰：俯仰。）須圓活（圓活：圓通生動。），枝從節上生。

安枝訣

安枝分左右，切莫一邊偏。鵲爪添枝杪（杪：細梢。），全形見（見：同『現』。）筆端。

畫葉訣

畫竹之訣，惟葉最難。出于筆底，發之指端。老嫩須别，陰陽宜參（宜參：應該探究。）。枝先承葉，葉必掩竿。葉葉相加，勢須飛舞。孤一迸二，攢（攢：聚攏。）三聚五。春則嫩篁（嫩篁：嫩竹。）而上承，夏則濃陰以下俯。秋冬須具霜雪之姿，始堪與松梅而爲伍（爲伍：做同伴，成爲同類。）。天帶晴兮，偃葉而偃枝；雲帶雨兮，墜枝而墜葉。順風不一字之排，帶雨無人字之列。所宜掩映以交加（交加：交錯。），最忌比聯（比聯：緊挨在一起。）而重疊。欲分前後之枝，宜施濃淡其墨。葉有四忌，兼忌排偶。尖不似蘆，細不似柳。三不似川，五不似手（五不似手：如果是五片葉子，不要畫成手的形狀。）。葉由一筆，以至二三。重分叠个，還須細安。間以側葉，細筆相攢。使比者破，而斷者連。竹先立竿，生枝點節。考之前人，俱傳口訣。竹之法度，全在乎葉。因增舊訣爲長歌，用廣（廣：擴大。）前人之法則。

在詳細講解之後，此段是編者對畫竹各部分要點進行總結歸納，分別編爲畫墨竹總歌訣、畫竿、點節、畫葉、安枝、畫葉訣，學畫者熟記于心，舉一反三則達到事半功倍之效果。

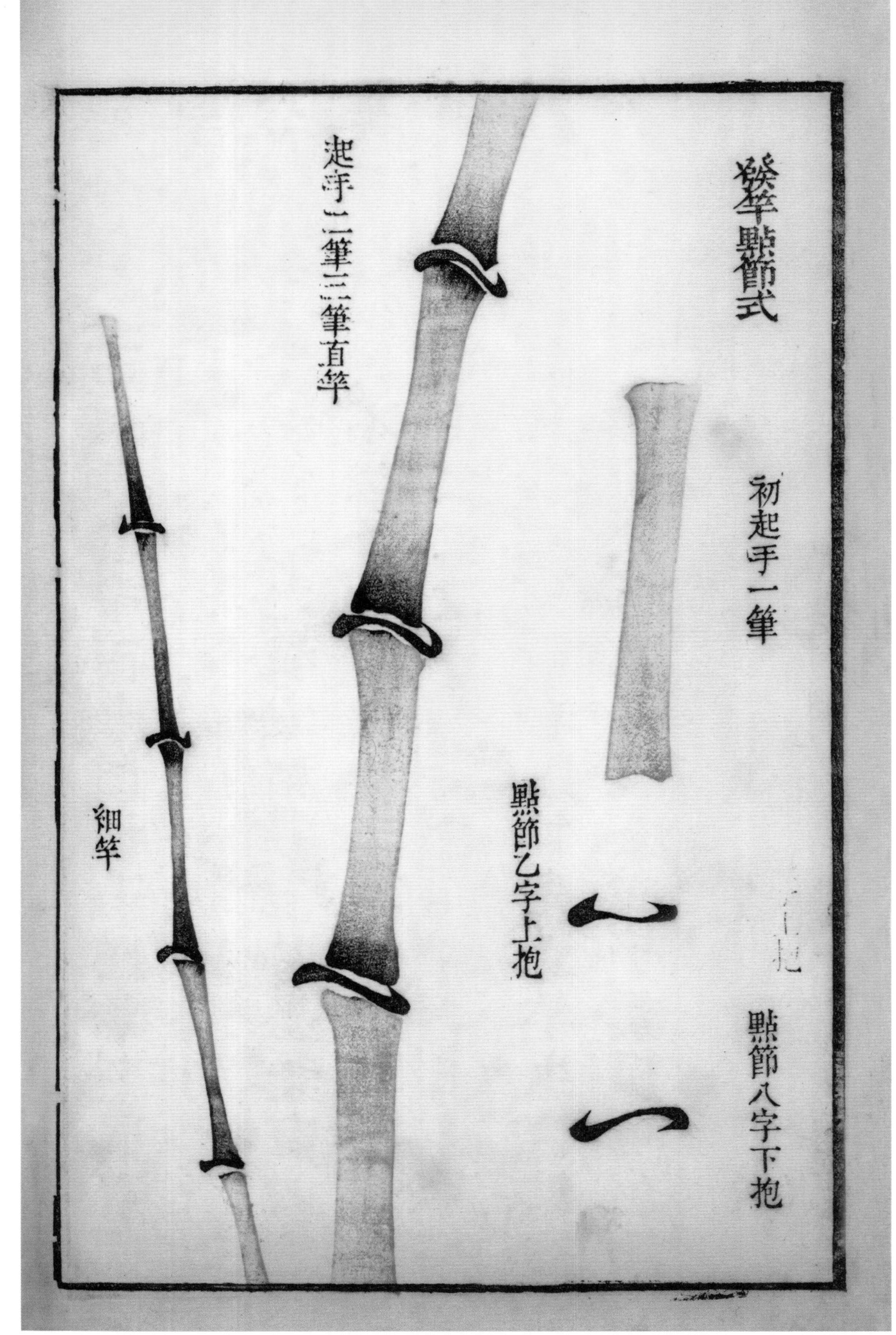
發竿點節式
初起手一筆
點節八字下抱
點節乙字上抱
起手二筆三筆直竿
細竿

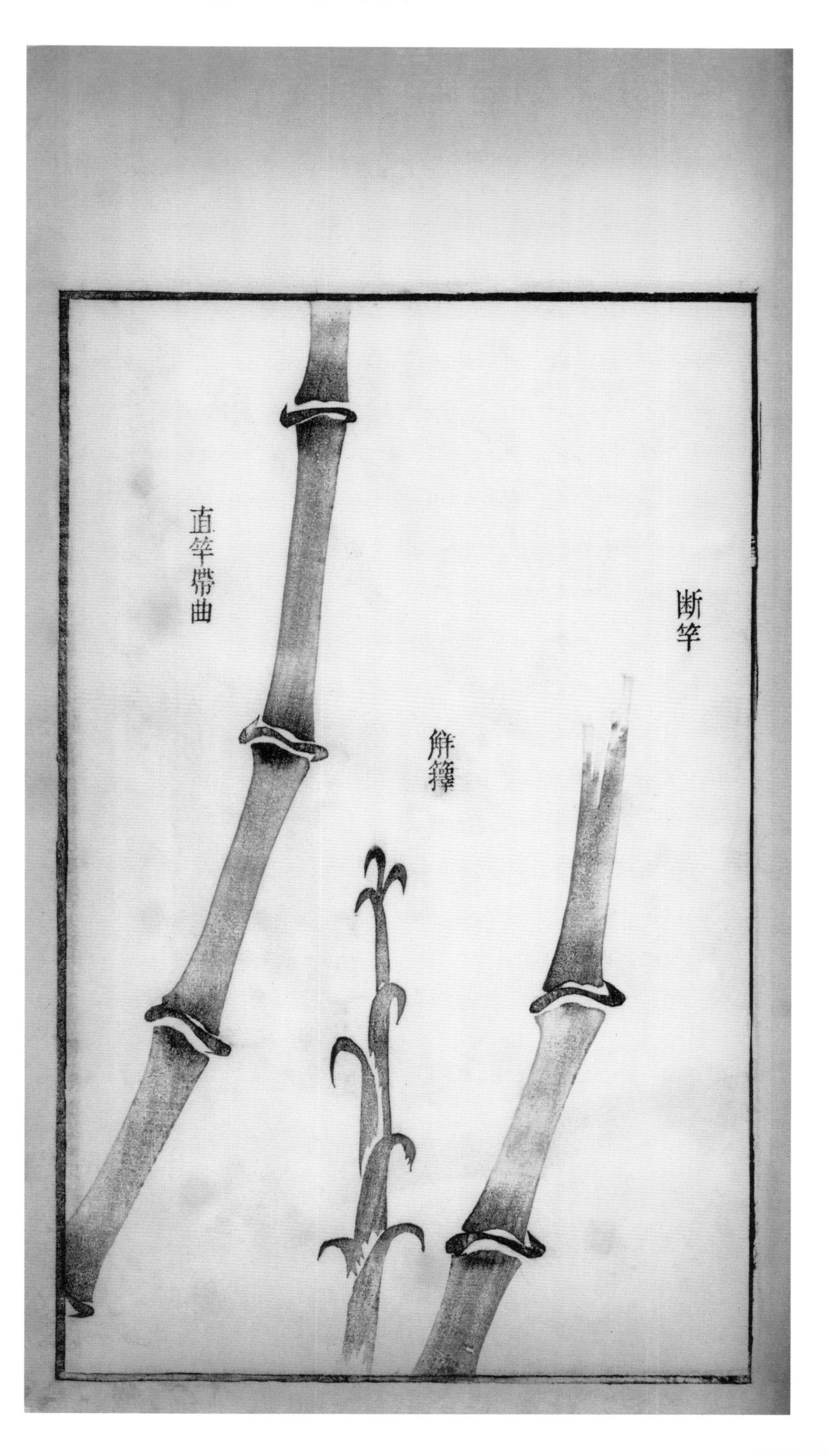
直竿帶曲
断竿
觧籜

發竿式
垂梢
根下竹胎

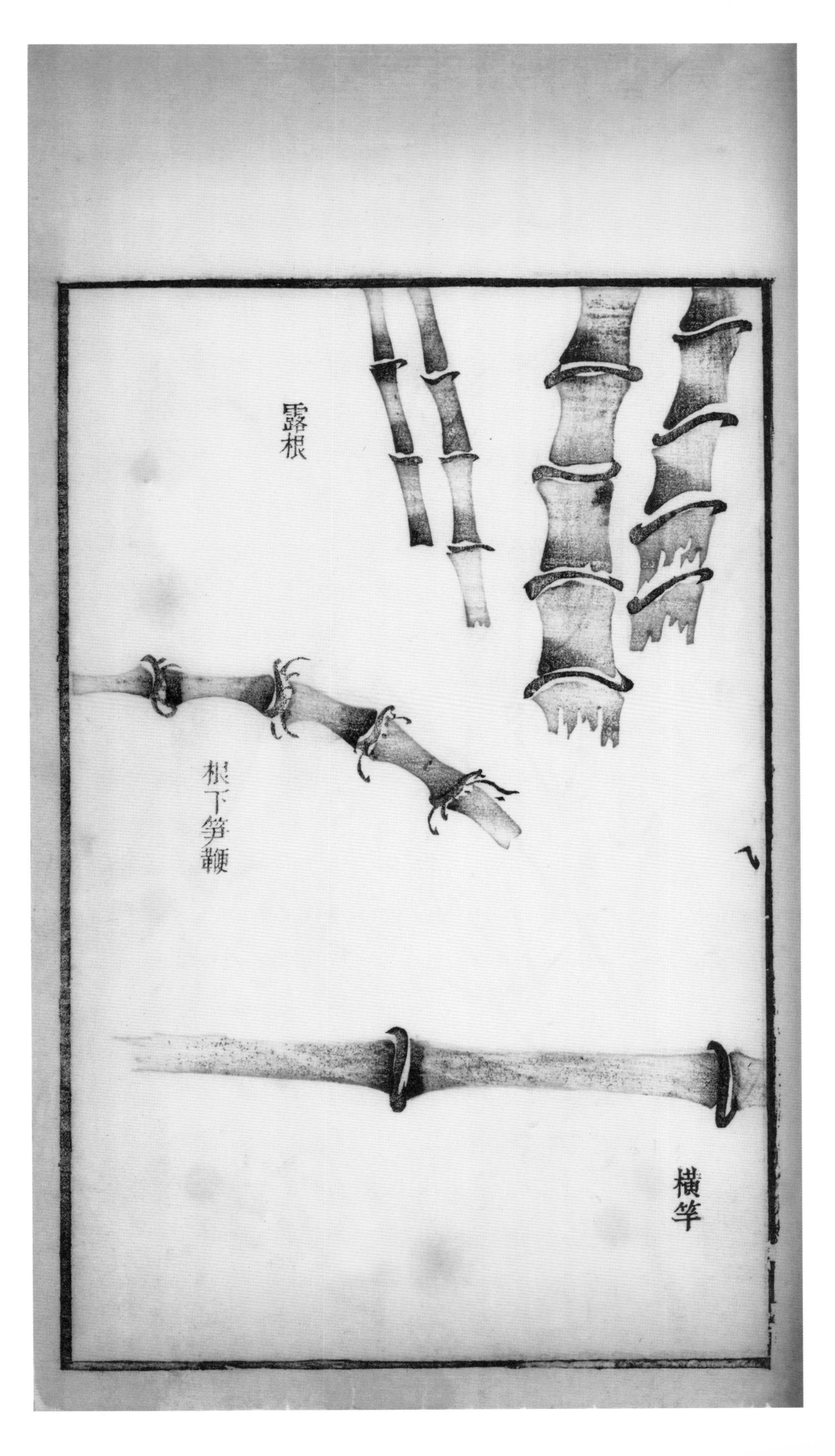
露根
根下笋鞭
横竿

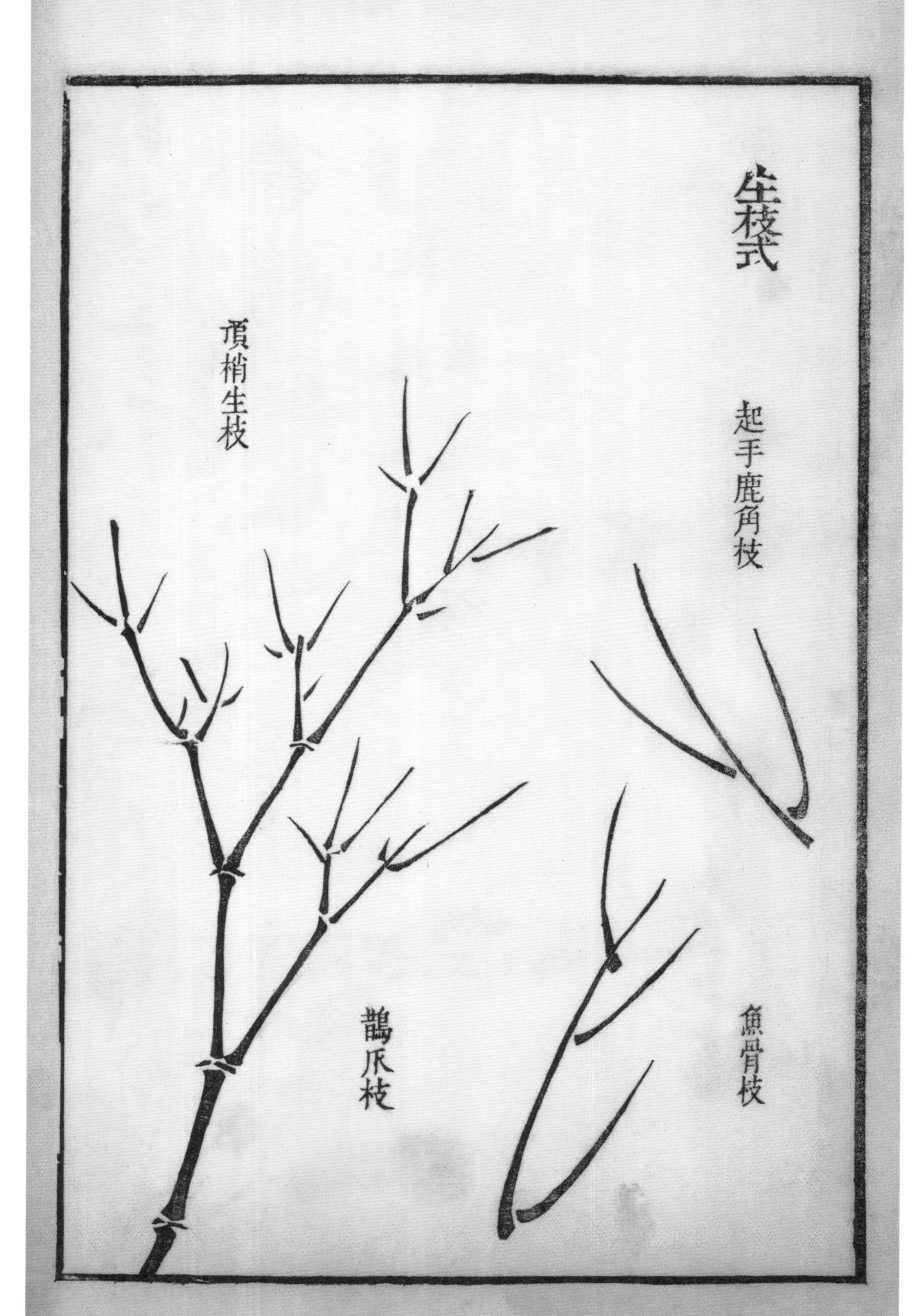
生枝式
起手鹿角枝
頂梢生枝
鵲爪枝
魚骨枝

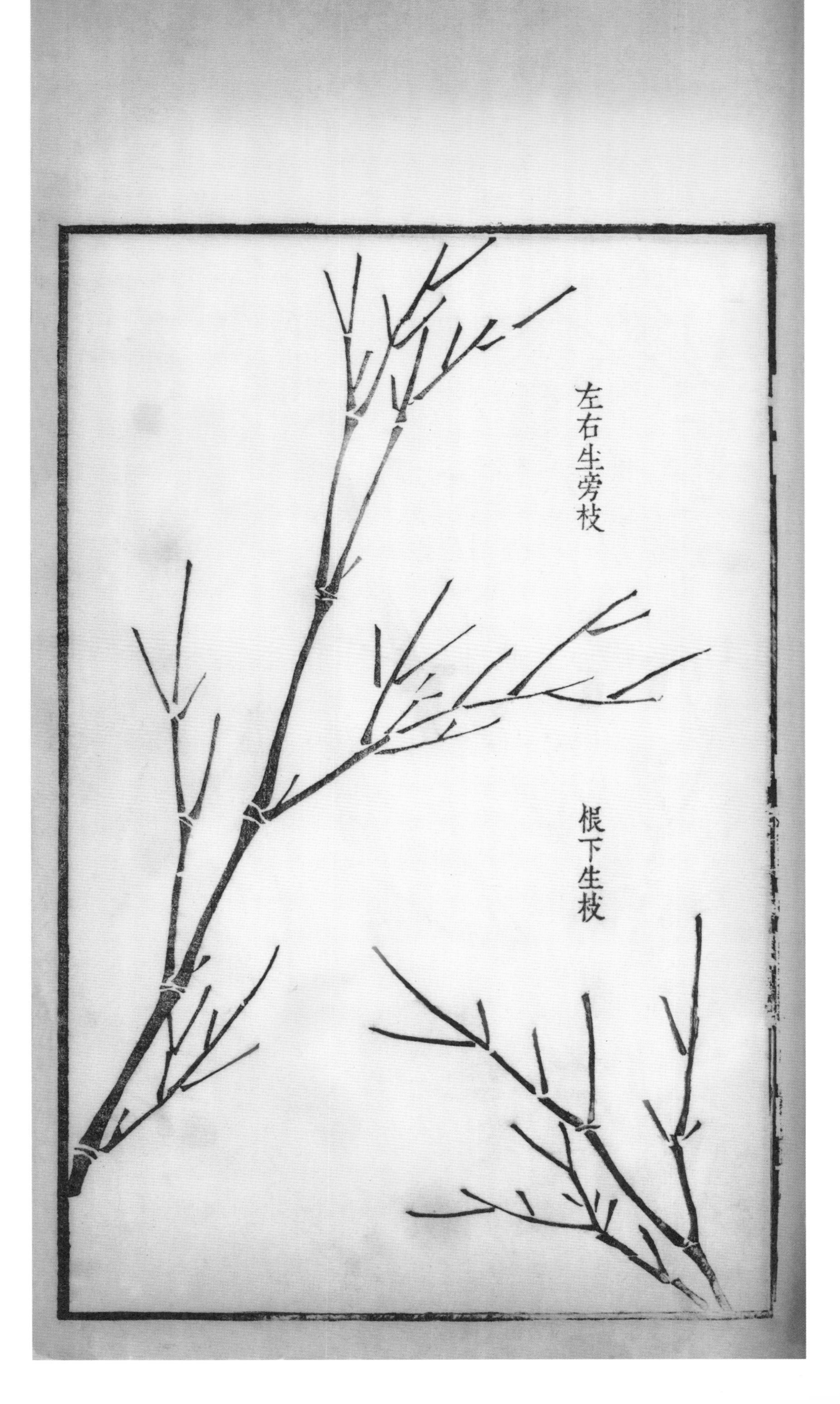
左右生旁枝
根下生枝

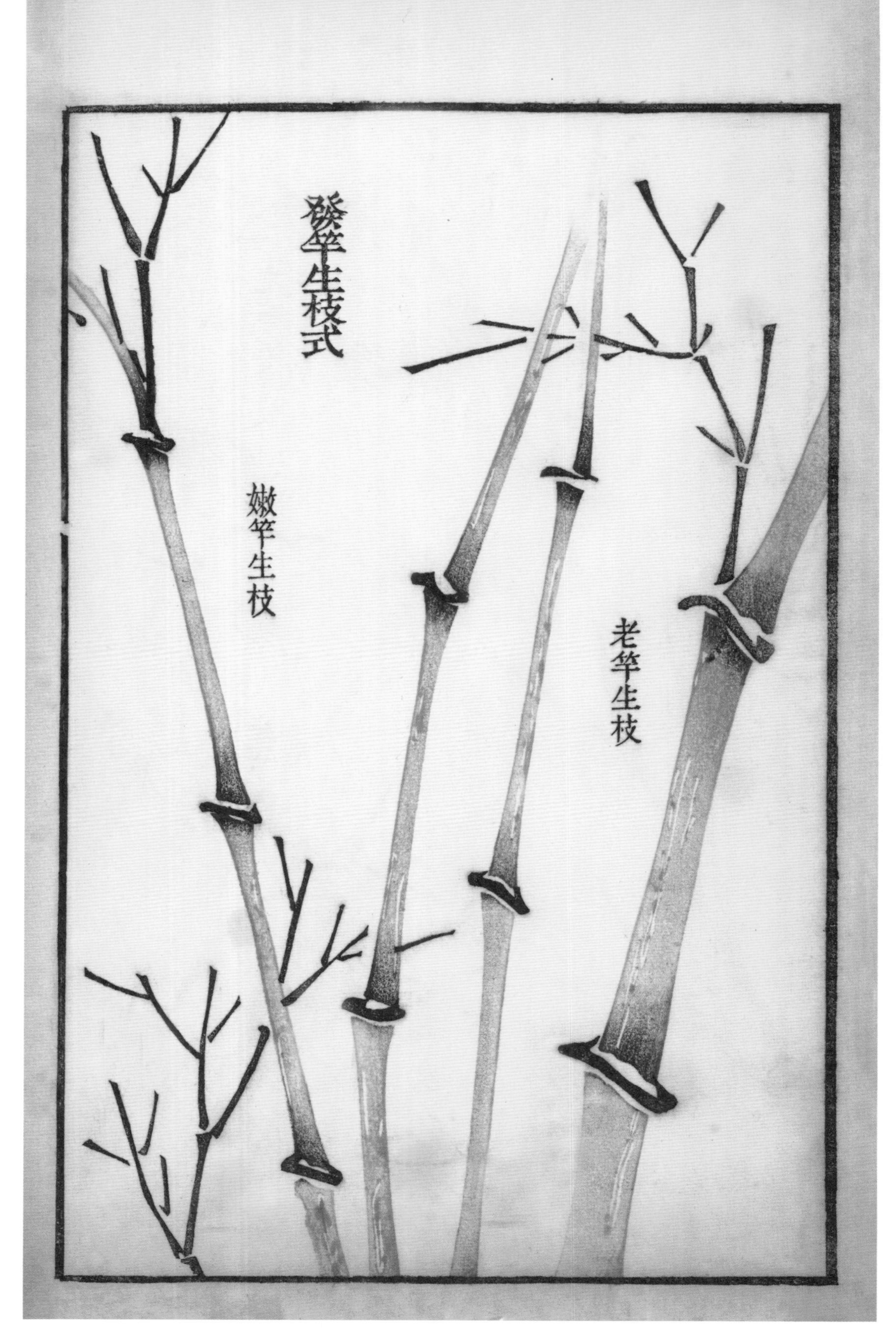
發竿生枝式
嫩竿生枝
老竿生枝

双竿生枝
細篠生枝

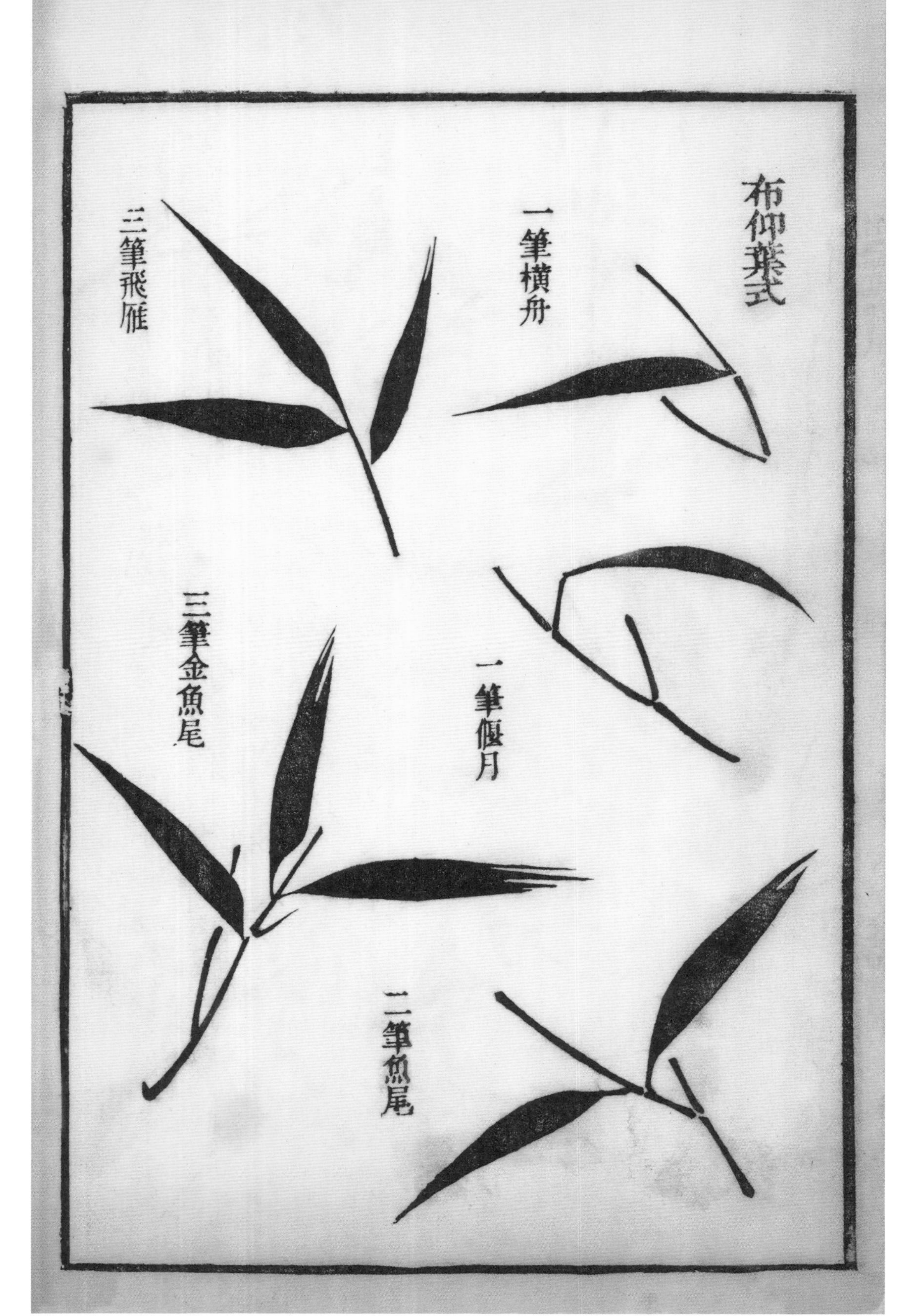
布仰葉式
一筆橫舟
三筆飛雁
一筆偃月
三筆金魚尾
二筆魚尾

四筆交魚尾
五筆交魚雁尾
六筆双雁

布偃葉式
一筆片羽
二筆燕尾
三筆个字
四筆驚鴉

四筆落雁
五筆飛燕
七筆破双个字

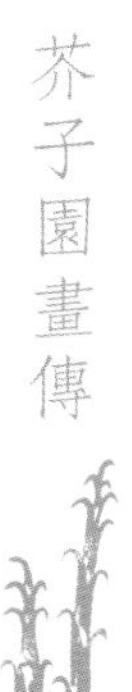

五筆破分字

脊分字

結頂式
布葉生枝結頂

嫩葉出梢結頂

垂梢式

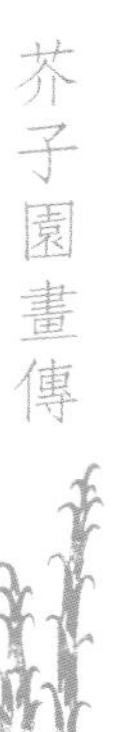

過牆大小二梢

横梢式

新篁斜墜嫩枝

出梢式
新篁解籜右梢

新篁鮮籜左梢

下截見根
安根式
根下著草泉石

畫竹具字法之四體，竿勁直如篆，節波趯（波趯：指隸書筆法。）如隸，枝縱橫如草，葉整齊如真（真：真書，楷體。）。竹雖畫，則亦字矣。墨竹不始于與可、東坡，至與可、東坡始各擅其長。有謂與可畫竹是《左氏》（左氏：指《左傳》。），東坡却類《莊子》。聿之奥妙，又合乎古文。然則畫竹，胸無成竹固不可，若胸無文字亦不可。今芥子園之編定竹譜，故予前立起手式，一如作字四體之有八法。此全圖已先創輯，屬予鑒正加以删補，至其筆之類《左》類《莊》，識者自能區別，予不敢居胡氏之添《傳》（胡氏之添傳：南宋學者胡安國被宋高宗召爲給事中，校點《左傳》，兼侍讀，專講左氏《春秋》。后續撰《春秋傳》。），亦不欲蹈（蹈：踩，此指走前人走過的路，即模仿前人之意。）郭子之注《莊》（郭子之注《莊》：西晉玄學家郭象著有《莊子注》。）也。

辛巳竹醉日（竹醉日：指農曆五月十三日，相傳此日竹醉，種竹易活。）繡水王蓍識。

此爲畫者王蓍有感而發，非具體之用筆用墨，而是多年畫竹之經驗與體會，究其至要，則是胸中有竹，方能沉着于手，妙華天成。

虛心友石

直節干霄

交幹拂雲

新篁解籜

輕筠滴露

濃葉垂煙

白箬隱霧

垂枝帶雨

龍孫脫穎

高竿垂綠

圖書在版編目（CIP）數據

芥子園畫傳·竹譜 / 國家圖書館館藏. —— 上海：
上海書畫出版社, 2011.11
ISBN 978-7-5479-0284-4
Ⅰ. ①芥… Ⅱ. ①國… Ⅲ. ①竹－花卉畫－國畫技法
Ⅳ. ①J212

中國版本圖書館CIP數據核字(2011)第213805號

芥子園畫傳·竹譜

王槩　王蓍　王臬　編

尚佐文　沈樂平　錢偉强　注釋　點評

責任編輯　朱艷萍
審　　讀　華逸龍
責任校對　徐曉玲
封面設計　劉　欣
裝幀設計　品悦文化
技術編輯　錢勤毅

出版發行　上海書畫出版社

地址　上海市延安西路593號　200050
網址　www.shshuhua.com
E-mail　shcpph@online.sh.cn
經銷　各地新華書店
印刷　浙江新華印刷技術有限公司
開本　889×1194　1/16
印張　4.25
版次　2012年1月第1版 2018年8月第8次印刷

書號　ISBN 978-7-5479-0284-4
定價　33.00圓